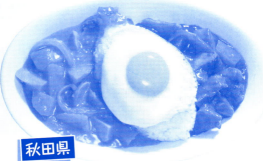
秋田県
あいがけ神代カレー

富山県 水だんご

青森県 りんご餃子

栃木県 とて焼

愛知県 あんかけスパゲッティ

千葉県 太巻き祭り寿司

監修者のことば

ご当地ごはんには、びっくりする形状や調理方法、珍しい素材の組み合わせ方など、面白いものがたくさんあります。そのひとつひとつをよく調べてみると、歴史的に興味深い由来や人々の熱い思い入れがわかってきて、ますます楽しみは広がります。ふだんから料理にかかわっている私自身も、その奥深さや自由な発想とアイディアがとても勉強になり、ご当地ごはんのパワーにすっかり魅せられてしまいました。でもそう簡単に現地まで食べには行かれませんから、おうちでつくれたらいいなと思い、この本ができました。これをきっかけに、楽しい料理の世界に興味をもってもらえたらうれしいです。

吉田瑞子

〈この本の決まり〉

- この本で紹介しているご当地ごはんは、はじめてでもつくりやすいようにつくり方の手順を簡単にしたり、材料を手に入りやすいものに変えたりしています。地名や地域名、料理の由来は各都道府県の公式ホームページなどを参考にして一般的と思われるものを採用しています。
- 1カップは200mL、大さじ1は15mL、小さじ1は5mL、1合は180mLです。
- 電子レンジは500Wを使用しています。加熱時間は目安なので様子をみながら調節してください。
- 火加減は、特に表記がない場合は中火です。
- だし汁は市販の顆粒だしを水にとかしてつくる場合を想定しています。分量は、パッケージの表示を参考にしてください。

この本の見方

この本は、全国のご当地ごはんをテーマごとに対決形式で紹介しています。レシピを見ながらつくってみましょう。

もくじ

お笑い芸人「パックンマックン」 パトリック・ハーランさんインタビュー
ご当地ごはんで日本の魅力を再発見して！ ……… 4

ダブルで！ 焼いて！　ご当地カレー対決 ……… 6
あいがけ神代カレー（秋田県仙北市）vs 門司港焼きカレー（福岡県北九州市）

◆料理のキホン◆ 火加減のみかたをマスターしよう ……… 9
◆料理のキホン◆ 材料のはかり方をマスターしよう ……… 11

お好みはどっち？　豚肉ごちそう料理 ……… 12
四日市とんてき（三重県四日市市）vs ぶたかば（岡山県岡山市）

こってり？　さっぱり？　鶏肉揚げ物対決 ……… 14
チキン南蛮（宮崎県全域）vs とり天（大分県全域）

果物派？　ジャンボ派？　チャレンジ餃子対決 ……… 18
りんご餃子（青森県青森市）vs 津ぎょうざ（三重県津市）

山幸？　海幸？　ちゃんちゃん対決 ……… 22
鶏ちゃん（岐阜県全域）vs 鮭のちゃんちゃん焼き（北海道全域）

パーティーで食べたい！　カラフルお寿司対決 ……… 26
太巻き祭り寿司（千葉県全域）vs 岩国寿司（山口県岩国市）

からめる？　つける？　とろ〜りパスタ対決 ……… 32
あんかけスパゲッティ（愛知県名古屋市）vs 富士つけナポリタン（静岡県富士市）

似てるけど違うよ！　中華めん対決 ……… 36
長崎ちゃんぽん（長崎県全域）vs 太平燕（熊本県熊本市）

おかわりしたくなる！　アイディアおかず対決 ……… 40
ちくわサラダ（熊本県熊本市）vs 紅しょうがの天ぷら（大阪府全域）

フルーツを巻く？　のせる？　甘〜いデザート対決 ……… 42
とて焼（栃木県那須塩原市）vs シースケーキ（長崎県長崎市）

どっちにしよう？　小さなデザート ……… 46
水だんご（富山県黒部市）vs あさづけ（秋田県全域）

お笑い芸人「パックンマックン」
パトリック・ハーランさん インタビュー

ご当地ごはんで日本の魅力を再発見して！

だしにこだわる**日本料理が大好き！**

全国のご当地ごはんにふれる機会も多い"パックン"ことパトリック・ハーランさん。「日本にはおいしいものがたくさん♪」というパックンおすすめのご当地ごはんに迫ります！

Q. これまでに食べたご当地ごはんで、印象に残っているものはありますか。

A 和歌山県、静岡県、福岡県の3県で食べた「くえ」のおいしさが忘れられません。くえはハタ科の白身魚で、焼いたり煮たりして食べるのももちろんおいしいですが、僕のなかではなべにするのが最高。くえの濃厚な脂やコラーゲンがだしにとけてトロトロの食感になるのですが、ちょっと甘くて、淡泊なのに味わい深くて……とにかくおいしい！ 高級な魚なので特別な機会がないと食べられないということもあって、食べるとぜいたくな気持ちになります。

Q. パックンにとって、ご当地ごはんの魅力とはなんでしょうか。

A 旅番組などのお仕事で、これまでに全国各地のいろいろなご当地ごはんを食べる機会がありました。同じ日本でも、地域によって特産物、味

つけの好みはまったく違います。ご当地ごはんの魅力は、"その地域にしかない、そこでしか味わえない料理"を楽しめること。だからこそ、実際に食べに行く価値や、楽しみがあるのだと思います。

Q. ブランド大使を務めている福井県での食べ物の思い出はありますか。

A.
僕にとって福井は「第二のふるさと」。福井の人はみんなとても親切であたたかく、日本に来たばかりのころにお世話になった家の人たちには、本当の家族のようにかわいがってもらい、東京に住み始めてからも、しょっちゅう家に招いてもらって食事をごちそうになっていました。やさしさの詰まったごはんの味と、おばあちゃんが漬けた甘くて酸っぱい福井の梅干し、福井梅の味はいつまでも忘れられません。今でも、僕が行くと釣り好きのお父さんがあゆを釣ってきてくれたり、友達が特産の越前がにを用意してくれたり、その家族や大勢の仲間たちが集まって、もてなしてくれます。

Q. 食べたことのあるご当地ごはんで家でもつくってみたものはありますか。

A.
大阪の代表的B級グルメ、たこ焼きは何度もつくっています。たこ焼き器のプレート部分を替えれば、お好み焼きやもんじゃ焼きもつくることができるので、子どもといっしょにいろいろつくって楽しんでいます。妻は僕のためにキャベツたっぷりのヘルシーなお好み焼きをつくってくれますが、家庭でつくると、わが家流にアレンジができるのもいいですね。

大阪のたこ焼きとならび人気の明石焼を2巻で紹介しています。

**タレント／ふくいブランド大使
パトリック・ハーランさん**

1970年生まれ。アメリカ合衆国コロラド州出身。ハーバード大学比較宗教学部卒業後、初来日した1993年から約2年半、英会話学校の講師として福井県で過ごす。漫才コンビ「パックンマックン」としてテレビや舞台で活動するほか、個人ではNHKテレビ「英語でしゃべらナイト」MCなどで活躍。2005年「ふくいブランド大使」、2016年「福井市観光大使」就任。

Q. この本で取り上げているご当地ごはんでつくってみたものはありますか。

A.
岩手県や山形県などの郷土料理、納豆汁は妻がよくつくってくれます。みそ汁に入れると納豆のねばりがまろやかになっておいしいですよね。みそ汁や煮物などだしにこだわる日本の料理が僕は大好き。アメリカに帰るといつも「日本食が食べたいな」と思います。

納豆汁は1巻コラムで紹介しています。

Q. 最後にこの本の読者へメッセージをお願いします。

A.
ご当地ごはんのどれもが地域の人に愛される魅力が詰まったものばかり。食べたいと思うご当地メニューをつくってみながら、その土地でとれる食材の特徴や、その料理が生まれた背景、人々の暮らしぶりなどにも興味を持ってみましょう。そして、実際に訪れて味わってみてください！ きっと、忘れられない思い出になりますよ。

ダブルで！焼いて！

秋田県仙北市

あいがけ神代カレー

甘めでなつかしい昔風のカレーと
スパイスがきいた
今風のカレーを
ダブルで味わえる！

完成まで 60分

おいしさも2倍！

どんな料理？ あいがけ神代カレー

秋田県仙北市の神代地区でつくられた、今風、昔風の2種類のカレーを「あいがけ」する欲ばりカレーです。1950年代後半ごろからの、小麦粉とカレー粉でルーをつくる昔風の「おばあちゃんのカレー」と今風のカレーのふたつの味を楽しみます。地元では、秋田を代表する大根の漬け物の「いぶりがっこ」をそえます。

P8へ

ご当地カレー対決

ごはんの上にカレーをかけて
卵とチーズものせちゃおう！
こんがり焼いたら、とろとろの
絶品メニューが完成！

福岡県北九州市

門司港焼きカレー

完成まで 20分

チーズも卵も
とろけてる〜！

どんな料理？ 門司港焼きカレー

福岡県北九州市の門司港は、明治から昭和のはじめにかけて外国との貿易で栄え、洋食店も多い港町でした。1950年代後半ごろから、ある店で余ったカレーをグラタンのようにオーブンで焼いたところとてもおいしかったので、メニューとしたのがはじまり。今では門司港の名物となり、20軒以上の店で出されています。

●北九州
福岡
糸島
久留米

P10へ

あいがけ神代カレーのつくり方

材料（2人分）

＜昔風カレー＞
- 玉ねぎ……… 1/2個
- にんじん……… 1/2本
- じゃがいも…… 1個
- 魚肉ソーセージ…… 50g
- サラダ油……… 大さじ1/2
- Ⓐ だし汁……… 2カップ
  - みりん……… 小さじ1
  - しょうゆ……… 大さじ1
- Ⓑ 玉ねぎ……… 1/4個
  - にんじん……… 1/4本
  - にんにく……… 1/2かけ
- サラダ油……… 大さじ1と3/4
- 輪切り赤唐辛子…1/4本分
- カレー粉……… 大さじ1
- 小麦粉……… 大さじ2
- Ⓒ 塩、こしょう…各少々
  - ウスターソース…小さじ1
  - 牛乳……… 大さじ2

＜今風カレー＞
- 豚カレー用肉…70g
- 塩、こしょう…各少々
- にんにく……… 1/2かけ
- 玉ねぎ……… 1/2個
- にんじん……… 1/2本
- じゃがいも…… 1/2個
- エリンギ……… 40g
- サラダ油……… 大さじ1
- Ⓓ 水……… 2カップ
  - 輪切り赤唐辛子…1/4本分
- カレールー（市販品）……… 1/2箱（50g）
- Ⓔ 塩、こしょう…各少々
  - ガラムマサラ…小さじ1
  - 牛乳……… 大さじ1
- 温かいごはん…2皿分
- 目玉焼き……… 2個
- 福神漬け……… 少々

1 ＜昔風カレー＞ 具を切る

具になる玉ねぎはくし形切りに、にんじん、じゃがいも、魚肉ソーセージは乱切りにする。

> 乱切りは、切り口が常に上を向くように食材をまわしながら、ひと口大の不規則な形に切る切り方だよ。

2 具をいため、煮こむ

なべにサラダ油大さじ1/2を入れて熱し、1をいため、Ⓐを注ぎ、野菜がやわらかくなるまで煮る。

3 カレーのルーをつくる

Ⓑの玉ねぎ、にんじん、にんにくはみじん切りにする。

4

フライパンにサラダ油大さじ1/4を熱し、3と輪切り赤唐辛子をいためる。続けてサラダ油大さじ1と1/2を足し、カレー粉、小麦粉をふり入れていため、火を止める。2のなべから煮汁1カップ分を取り出し、少しずつ加えてのばす。

5 具とルーを合わせて煮る

4のルーがなめらかになったら、2のなべに加え、とかしながらよくまぜ、そのまま全体になじむまで約5分煮る。Ⓒを加えて味を調え、仕上げに牛乳を加える。

6 〈今風カレー〉具の下ごしらえをする

豚カレー用肉は塩、こしょうをふる。にんにくはみじん切りにする。

7
玉ねぎはくし形切りに、にんじん、じゃがいも、エリンギは乱切りにする。

8 具をいためる

なべにサラダ油大さじ1を熱し、6の豚肉をならべ入れ、こんがり焼き色をつけたら、6のにんにくを加えていためる。

9
続けて7を加えていためる。

10 煮る

Dを加え、ふっとうしたらアクを取りのぞき、野菜がやわらかくなるまで約15分煮る。

じゃがいもが煮くずれそうになったら、皿に取り出しておいて、最後にもどそう。

11
一度火を止め、カレールーを割り入れてとかし、再び火をつけ、約15分煮る。

12
Eで味を調え、仕上げに牛乳を加える。

13 両方のカレーをもりつける

温かいごはんを皿の中央にもり、その両側にそれぞれ昔風カレー、今風カレーをもりつけ、目玉焼きをのせ、福神漬けをそえる。

現地では温泉卵をのせているよ！

これで完成！

料理のキホン

火加減のみかたをマスターしよう

料理の仕上がりに大きな影響を与える、火加減について紹介するよ。

弱火

なべ底に炎が当たらないくらいの火加減。炎の高さが、コンロとなべ底の中間くらいが目安です。

中火

炎の先がなべ底にちょうど当たるくらいの火加減です。

強火

ガスコンロのレバーを全開にする意味ではありません。炎の先がなべ底全体に当たっている状態です。

焦げてしまう場合は、火が強すぎるのかも。どの火加減でも、炎がなべ底からはみ出してしまうのは強すぎで危険ですよ。

門司港焼きカレーのつくり方

材料（2人分）

- レトルトカレー ……… 1と1/2カップ
- バター ………… 小さじ2
- 温かいごはん … 2皿分
- 卵 ……………… 2個
- ピザチーズ …… 100g
- パセリ（みじん切り） ……………… 少々

> レトルトカレーは、家でつくるいつものカレーの残りを使ってもOK！

1 カレーの下準備をする

レトルトカレーはパッケージから中身を取り出し、大きな具があれば小さく切る。

2

耐熱ボウルに **1** を入れてラップをかけ、電子レンジで約1分温める。

3 耐熱皿にごはんをもりつける

焦げつかないように、耐熱皿にバターをぬる。

4

3 に温かいごはんを平たくもりつける。

5 カレーをかける

2 のカレーをごはんがかくれるようにかける。

6 卵をのせる

5 の真ん中を少しくぼませ、割った卵をのせる。

7 チーズをかける

ピザチーズをまんべんなくかける。

黄身の上にもチーズをしっかりかけると、卵がかたくならずに半熟状に焼きあがるよ！

8 焼く

オーブントースターに入れ、チーズにこんがりと焼き色がつくまで、8〜10分を目安に焼く。

9

ミトンなどを使ってオーブントースターから取り出し、パセリのみじん切りをふる。

これで完成！

料理のキホン

材料のはかり方をマスターしよう

調味料や水などをはかる方法は主に4つ。
それぞれの基本やコツを覚えよう！

● 計量スプーンで粉状のもの（塩、砂糖、小麦粉など）をはかる

材料を山盛りにすくい、平らなもの（スプーンの柄など）ですりきります。

1杯をはかってから、平らなもので真ん中から半分をかき出します。

● 計量カップで液体（水、だし汁など）をはかる

平らな場所において、真横から見るように。上から見たり、かたむいている場所ではかると、はかり間違うことがあります。

材料の分量をきちんとはかることを習慣にしましょう。ちょっとしたことだけど、おいしく仕上げるポイントですよ。

● 計量スプーンで液体のもの（しょうゆ、酒、酢など）をはかる

真横から見て、表面が少しもり上がっているくらいの量。

スプーンの2/3の高さまで入った状態です。

● 指で粉状のもの（塩、砂糖など）をはかる

親指とひと差し指でつまんだ量。

親指とひと差し指、中指の3本の指でつまんだ量。

お好みはどっち?

三重県四日市市

四日市とんてき

厚切りの豚肉を
濃いめのたれにからめて焼くよ。
どどんと豪快な見た目が
食欲をそそるね!

ボリューム満点

どんな料理? 四日市とんてき

四日市市の中華料理店や肉料理店から広がった人気料理。厚切りの豚肉を焼き、黒っぽい色の味の濃いソースをからめ、にんにくをそえ、つけ合わせはせん切りキャベツというのが基本ですが、味つけなどはお店によってバリエーションがあります。

完成まで 20分

四日市とんてきのつくり方

材料(2人分)

- 豚ロース肉(厚切り) …… 2枚(1枚約250g)
- 塩、こしょう ……… 各少々
- にんにく ……… 4かけ
- 玉ねぎ ……… 1/4個
- Ⓐ しょうゆ、ウスターソース、みそ、みりん、砂糖 …… 各大さじ1
- 酒 ……… 大さじ2
- 酢 ……… 小さじ1
- サラダ油 ……… 大さじ1
- キャベツ(せん切り) … 2枚分
- きゅうり(斜め切り) … 6枚
- レモン(輪切り) ……… 4枚

1 材料の下ごしらえをする
豚ロース肉は脂のある側から深めに(3/4ぐらい)切りこみを5本入れ、塩、こしょうをふる。

2
にんにくは縦に半分に切り、玉ねぎは1cm厚さのくし形切りにする。Ⓐを合わせておく。

3 肉と野菜を焼く
フライパンにサラダ油を入れて熱し、2のにんにくをいためて取り出したら、1をならべ入れ、焼き色がつくまで焼く。

4
弱火にして肉を裏返したら、玉ねぎと3のにんにくを入れていためる。玉ねぎがしんなりして肉に完全に火が通ったら、2で合わせたⒶを加えて煮からめる。

余分な脂が出たらキッチンペーパーで吸い取って!

5 もりつける
皿に4をもりつけ、キャベツ、きゅうり、レモンをそえる。

これで完成!

豚肉ごちそう料理

完成まで **15分**

岡山県岡山市

ぶたかば

うなぎかと思って食べてみたら
なんと豚肉！
香ばしく焼いた豚肉と
たれが染みたごはんではしが止まらない！

こってり味でごはんがススム！

どんな料理？ ぶたかば

岡山県岡山市の新しいB級グルメとして注目を集めているぶたかばは、名前の通り豚のかば焼きのことです。豚肉を香ばしく焼いて、うなぎのかば焼きのたれをつけてさらに焼き、あつあつのごはんの上にのせます。うな重そっくりな見た目も特徴です。

ぶたかばのつくり方

材料（2人分）

- 豚ロース肉（厚切り）……2枚（1枚約250g）
- サラダ油……小さじ2
- うなぎのたれ（市販品）……大さじ3
- 温かいごはん……お重2杯分

1 肉の下ごしらえをする
豚ロース肉はすじ切りをし、包丁の背でたたく。

すじ切りは、白い脂身と赤身の境目にあるすじに、数か所包丁で切れ目を入れること。加熱したときの縮みを防いで、きれいに仕上がるよ。

2 肉を焼く
フライパンにサラダ油を入れて熱し、1を入れてへらで押しつけながら、両面をこんがりと焼き色がつくまで焼く。

3の「煮からめる」とは、煮汁が少なくなるまでに煮つめながら、煮つめたたれに材料をからめることだよ。

3
肉に火が通ったら、余分な脂をキッチンペーパーで吸い取り、うなぎのたれを加えて煮からめる。

4 焼いた肉を切る
火を止め、あら熱が取れたら肉を取り出し、斜めに包丁を入れてそぎ切りにする。

5 もりつける
重箱にごはんをもりつけ、4をのせる。

これで完成！

こってり？さっぱり？

宮崎県全域

チキン南蛮

こんがり揚げた鶏肉に
タルタルソースをたっぷりと！
ごはんがもりもり
食べられちゃうおかずだよ。

完成まで 30分

…タルタルソースがピッタリ！！

どんな料理？ チキン南蛮

宮崎県で生まれ、全国で人気の料理です。延岡市の洋食屋で、店の人たちが食べていた、から揚げに甘酢をかけたものがはじまりです。この店で修業した料理人が、一人はあじの南蛮漬けなどに使う甘酢をかけたチキン南蛮を、もう一人はその上にさらにタルタルソースをかけたチキン南蛮を生み出しました。

鶏肉揚げ物対決

ひと口大の鶏肉を
カラッと天ぷらに！
酢じょうゆをつけて
食べるのが地元流。

大分県全域

とり天

完成まで 20分

さっぱりと酢じょうゆで！

どんな料理？ とり天

大分県で愛されているとり天は、下味をつけた鶏肉に衣をつけて揚げる、鶏肉の天ぷらです。そのはじまりは、大正時代から別府市にあったレストランとも、1960年代はじめの大分市の食堂ともいわれます。練辛子をそえた酢じょうゆにつけたり、大分県名産のかぼすをしぼって食べます。

日田　別府　由布　大分

P17へ

チキン南蛮のつくり方

材料（2人分）

- Ⓐ 水……………… 大さじ2
- しょうゆ……… 大さじ1
- 酢……………… 大さじ1
- 砂糖…………… 大さじ1と1/2
- Ⓑ 片栗粉………… 小さじ1/2
- 水……………… 小さじ1
- ゆで卵（あらみじん切り）… 1個分
- 玉ねぎ（みじん切り）…… 大さじ1
- きゅうりのピクルス（みじん切り）… 小1本分
- 赤パプリカ、パセリ（みじん切り）… 各少々
- 塩、こしょう… 各少々
- Ⓒ マヨネーズ… 1/4カップ
- きゅうり……… 1/3本分
- プチトマト…… 3個分
- レモン………… 1/4個分
- 鶏もも肉……… 1枚
- 塩、こしょう… 各少々
- 小麦粉………… 大さじ2
- 揚げ油………… 適量
- 卵……………… 1個
- リーフレタス… 2枚

鶏肉はむね肉でもおいしくつくることができるよ！

1 たれをつくる

なべにⒶを入れて火にかけ、ふっとうしたら、Ⓑの片栗粉を分量の水でといて少しずつ加えてとろみをつける。

2 タルタルソースをつくる

Ⓒをまぜる。

3 つけ合わせの野菜を切る

きゅうりは斜め切りに、プチトマトは半分に切る。レモンはくし形切りにする。

4 鶏肉の下ごしらえをする

鶏もも肉は1枚を半分に切り、塩、こしょうをふり、小麦粉をまぶす。

5 鶏肉を揚げる

揚げ油は170度に熱しておく。4の鶏肉にときほぐした卵をからめ、揚げ油でこんがりと焼き色がつくまで揚げる。

6 もりつける

皿にリーフレタス、3をもりつけ、5に1のたれをからめてのせ、2をかける。

とり天のつくり方

材料（2人分）

鶏もも肉 ……… 1枚	ごま油 ……… 小さじ1
Ⓐ しょうゆ …… 小さじ1	Ⓑ 天ぷら粉 …… 2/3カップ
酒 ……… 大さじ1/2	片栗粉 …… 1/3カップ
砂糖 ……… 小さじ1	冷水 ……… 3/4カップ
塩、こしょう ……… 各少々	揚げ油 ……… 適量
	レタス ……… 適量
しょうが汁 … 小さじ1	酢、しょうゆ、辛子
にんにくのすりおろし ……… 1/2かけ分	……… 各適量

1 鶏肉を切る

鶏もも肉は皮を取りのぞき、縦半分に切り、1cm厚さのそぎ切りにする。

そぎ切りとは、包丁を斜めに入れてうすくそぎ取るように切る切り方だよ。
厚さが同じになるように、注意してね。

2 鶏肉に下味をつける

Ⓐをバットに入れて泡立て器などでまぜ合わせ、1を加えてよくからめる。しばらくおいて味をなじませる。

3 天ぷら衣をつくる

ボウルにⒷの天ぷら粉と片栗粉を入れて泡立て器でまぜる。冷水を少しずつ加えながらよくまぜる。

4 衣をつけた鶏肉を揚げる

揚げ物や揚げ物用のなべは高温なのでやけどに注意。揚げるときは大人に近くにいてもらおう！

3のボウルに2を入れてからめ、170度に熱した揚げ油でカラリと揚げる。

5 もりつける

皿にレタスをしいて4をもりつけ、酢としょうゆをまぜたものと辛子をそえる。

これで完成！

果物派？ジャンボ派？

青森県青森市

りんご餃子

りんごがシャキシャキ

餃子の皮に包まれているのは**なんとりんご!!**
ひき肉やキャベツなどの具にほんのり甘みが加わるよ。

完成まで 25分

どんな料理？ りんご餃子

日本一のりんごの産地である青森県では、りんご餃子が青森市内の飲食店に登場します。共通のルールは、青森県産のりんごと国産の鶏肉を使うこと、にんにくは使わないことの3つです。りんごはすりおろしたり、刻んでまぜたりします。水餃子や揚げ餃子にしても、おいしく食べられます。

つがる 弘前 青森 八戸

P20へ

チャレンジ餃子対決

お皿からはみ出すほどの
ビッグサイズの餃子が登場。
パリッと揚げた皮のなかには
具がぎっしりつまっているよ。

三重県津市

津ぎょうざ

完成まで 30分

おどろきの大きさ！

どんな料理？ 津ぎょうざ

1985年ごろ、三重県津市の学校給食から生まれた、皮の直径15cmの巨大揚げ餃子です。栄養士さんが、1個でおなかいっぱいになる大きさの餃子を考えました。大きくて一度に焼けなかったので、揚げ餃子にしました。今では津市名物になり、多くの店で食べられます。中身の具はそれぞれの店によって異なります。

四日市
津
松阪
志摩

P21へ

りんご餃子のつくり方

材料(2人分)

りんご……1/2個	しょうがのすりおろし……1/2かけ分
キャベツ……100g	塩、こしょう……各少々
塩……少々	片栗粉……小さじ1
鶏ひき肉……100g	餃子の皮……20枚
Ⓐ ウスターソース……大さじ1	サラダ油……少々
鶏ガラスープの素……小さじ1	ごま油……小さじ2
	しょうゆ、酢、ラー油……各少々

1 材料の下ごしらえをする
りんごは皮をむいて8㎜角に切り、塩水につける。

> 切ったりんごを塩水につけると、変色しにくくなるよ。

2 たねをつくる
キャベツは1㎝角に切り、ボウルに入れる。塩を加えて手でもみ、しんなりしたら水気をしぼる。

3

別のボウルに鶏ひき肉、Ⓐを入れ、手でまぜる。

4

3に2、1を順に加えてさらにまぜる。

5 たねを包む

餃子の皮に4をのせ、ふちに指で水をつける。ひだを寄せて包む。

6 餃子を焼く

フライパンを火にかけて熱し、うすくサラダ油をぬり、5をならべ入れる。水1/4カップ(分量外)を加え、ふたをする。水分がなくなったらごま油を全体にまわしかけ、ほどよいこげ目をつける。

7 もりつける
皿にもりつけ、しょうゆ、酢、ラー油を合わせたつけだれをそえる。

これで完成!

津ぎょうざのつくり方

材料（2個分）

餃子の皮	8枚	Ⓐ しょうゆ	小さじ1
玉ねぎ	1/4個	塩	小さじ2/3
しょうが	1/2かけ	こしょう	少々
にんにく	1/2かけ	ごま油	少々
にら	1/2束	揚げ油	適量
豚ひき肉	80g		

1 皮をつくる

まな板の上にラップを広げ、餃子の皮4枚を大きな丸になるようにならべる。重なり合うところに水をぬってくっつけ、大きな1枚の皮になるようにする。

2

1の上にラップをかけ、めん棒で、皮同士をくっつけるように押す。残りの4枚を同じようにし、もう1枚の大きな皮をつくる。

3 たねをつくる

玉ねぎ、しょうが、にんにくはみじん切り、にらは1cm幅の小口切りにする。

4

ボウルに豚ひき肉、Ⓐを入れて手でまぜ、さらに3を加えてまぜる。

5 たねを包む

4の半分の量を2の中央にのせる。

6

ふちに水をつけ、ひだを寄せて包む。

7 餃子を揚げる

揚げ油を150度に熱し、6を入れ、約7分こんがり色づくまで揚げる。

仕上げに少し火を強めて油の温度を上げると、皮はパリッと、なかはジューシーに仕上がるよ。

これで完成！

山幸？海幸？

岐阜県全域

鶏ちゃん

ごはんおかわり～

ひと口サイズの鶏肉を野菜といためたシンプル料理。こってり甘辛のたれがごはんによく合うよ！

完成まで 20分

どんな料理？ 鶏ちゃん

岐阜県下呂市や郡上市発祥の、たれに漬けた鶏肉とキャベツなどをいためた料理です。昔、卵をうめなくなった鶏を、ごちそうとして食べたのがはじまり。1950年代後半には、鶏ちゃん用の味つけ肉が販売され、飲食店のメニューにもなって県内に広がりました。店や家庭によって、味つけはさまざまです。

高山　郡上　下呂　岐阜

P24へ

ちゃんちゃん対決

鮭を野菜やみそといっしょに
アルミホイルに包んで
蒸し焼きに！
いろどり野菜と
合わせ食べよう。

完成まで 20分

鮭のちゃんちゃん焼き

北海道全域

どんな料理？ 鮭のちゃんちゃん焼き

北海道の漁師町で生まれた名物料理です。鮭などの魚と野菜にみそ味のたれをかけて蒸し焼きにします。名前については「ちゃん（父ちゃん）」がつくる、「ちゃっちゃっ」とつくれるなど、いくつかの説があります。家庭でも、ホットプレートで手軽につくれ、好みの味つけをくふうできる、人気のメニューです。

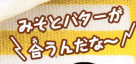

みそとバターが合うんだな〜

P25へ

鶏ちゃんのつくり方

材料（2人分）

鶏もも肉………1枚	しょうがのすりおろし、にんにくのすりおろし…………各1かけ分
Ⓐ みそ（あれば郡上みそ）…………大さじ2	キャベツ………2枚
しょうゆ……小さじ1	玉ねぎ………1/4個
みりん、酒、砂糖…………各大さじ1	にんじん………1/4本
コチュジャン…………小さじ1	もやし………1/2パック
	にら…………2本
	サラダ油………小さじ2
	ごま油………小さじ2

1 鶏肉に下味をつける

鶏もも肉は4〜5㎝大に切る。

2

ボウルにⒶを入れてまぜ合わせ、**1**を加えてなじませ、そのまましばらくおく。

3 野菜を切る

キャベツはざく切り、玉ねぎは1㎝厚さのくし形切り、にんじんは斜めうす切りにする。もやしはひげ根を取りのぞき、にらは2㎝長さに切る。

> ざく切りはひと口大の大きさに切ることだよ。

4 野菜をいためる

フライパンにサラダ油を入れて熱し、にら以外の**3**の野菜をいため、一度皿に取り出す。

5 鶏肉をいためる

4のフライパンにごま油を足し、**2**の鶏肉をいためる。

6 もりつける

鶏肉に完全に火が通ったら**4**をもどし、にらを加えていため合わせ、皿にもりつける。

これで完成！

鮭のちゃんちゃん焼きのつくり方

材料（2人分）

生鮭	2切れ	赤パプリカ	1/4個
塩、こしょう	各少々	Ⓐ みそ	大さじ3
キャベツ	4枚	砂糖	大さじ2
玉ねぎ	1/2個	酒	大さじ1
グリーンアスパラガス	2本	みりん	大さじ1/2
		コーン	大さじ2
		バター	大さじ3

1 鮭に下味をつける
生鮭は、軽く塩、こしょうをふる。

2 野菜を切る
キャベツはざく切り、玉ねぎは1㎝厚さのくし形切り、グリーンアスパラガスは4等分、赤パプリカは斜め切りにする。

3 たれをつくる

ボウルにⒶを入れてよくまぜる。

4 材料をアルミホイルで包む

アルミホイルを広げ、2等分した2、コーン、1を順におく。同じようにもう1個つくる。

5

3をかけ、その上にバターを大さじ1/2ずつおく。

6 焼く

アルミホイルをしっかりとじ、オーブントースターで約10分蒸し焼きにする。

アルミホイルが熱くなっているので、取り出すときはミトンなどを使おう。

7
焼きあがったらアルミホイルを広げ、残りのバターをのせる。

これで完成！

パーティーで食べたい！

千葉県全域

太巻き祭り寿司

見た目にもはなやかな
お花もようのお寿司。
お祝いの日のごはんにも
ぴったりのメニューだね！

完成まで 60分

とってもキュート！

船橋 山武
千葉
鴨川

どんな料理？ 太巻き祭り寿司

千葉県に古くから伝わる郷土料理で、お祝いやおもてなし、地域の集まりなどで食べるごちそう。かんぴょう、のり、卵、野菜のほか、色とりどりの具で、切り口に花や文字などの絵柄を描き出すのが特徴です。切り口に描く絵柄と用いる食材は、伝統的なものだけでなく、現代風のものも取り入れられています。

P28へ

カラフルお寿司対決

四角いお寿司の真ん中には
卵やえびなどの具がいっぱい！
ケーキのようにカラフルな
かわいらしいお寿司だよ。

山口県岩国市

岩国寿司

完成まで 60分

まるでケーキみたい♪

どんな料理？ 岩国寿司

山口県岩国市で、お祭りやお祝いに欠かせない押し寿司です。その豪華さから「殿様寿司」ともよばれます。江戸時代から続くつくり方では、大きな木の枠を使い、一度に何十人分も仕上げます。寿司めしの上に地元のれんこんや瀬戸内の魚などの具、さらに寿司めし、具と重ね、しっかりと押したあとに切り分けます。

下関　山口　岩国
宇部

P30へ

太巻き祭り寿司のつくり方

材料（1本分）

- 米………1.5合（ごはん約500ｇ）
- 昆布………10㎝
- 粉末寿司酢（ピンク／市販品）
  ………大さじ1
- Ⓐ 酢………大さじ1と1/2
  - 砂糖……大さじ1/2
  - みりん……大さじ1/4
  - 塩………小さじ1/2
- 焼きのり（全型）…3枚
- 卵焼き（市販品）…1本（20ｇ）
- 小松菜………10本

> ピンクの粉末寿司酢がない場合は市販の桜でんぶを使おう。

1 寿司めしをつくる

米は昆布をのせ、炊飯器で少しかために炊き、250ｇをボウルに取り分ける。粉末寿司酢をまぜ、ピンクの寿司めしをつくり50ｇずつ（5等分）に分ける。

2

残りのごはんはぬらした飯台にうつし、熱いうちに合わせたⒶを加えてまぜ、白い寿司めしをつくる。調整用に30ｇを取り分ける。

3 具の準備をする

焼きのりのうち1枚は全型のまま、残りは3等分に切り、19㎝×7㎝を6枚つくる。

4

卵焼きは太さ1㎝角に切り、つなげて19㎝長さになるように用意しておく。

5

ふっとうした湯に塩（分量外）ひとつまみ入れ、小松菜を入れて色よくゆで、葉先と根元を逆にして組み合わせたものを5本つくる。

6 花びらの部分（細巻き）をつくる

> 1本の直径は1㎝くらいを目安にしよう。

まきすを広げ、**3**で3分の1に切った焼きのり1枚をおく。のりの上側2㎝を残し、**1**のピンクの寿司めし50ｇを広げて巻く。これを全部で5本つくる。

7 花びらを合わせる

まきすの上にラップを広げ、**6**を5本ならべ、**4**の卵焼きを中心においで巻く。

8

花の形に成形し、帯状に切った焼きのり（分量外）で両はしを固定する。この部分が花びらになる。

9

さらにまきすをずらし、**8**をまわしながら、花びらのくぼみに**5**の小松菜をおき、はしは帯状にして両はしをとめたのりの間にさし入れる。これをラップで包み、しばらくおいて落ちつかせる。

10 花びらの部分を包む

まきすを広げ、焼きのり全型1枚と**3**で3分の1に切った1枚を、はしを少し重ねておく。重ねた部分につぶした寿司めし（8粒くらい）をぬり、2枚をくっつけて大きく広げる。

11

のりの上側と下側を5cmずつあけ、中央部分に**2**の白い寿司めしを広げる。

12

9のラップを取って**11**の中央におき、包みこむように両側から巻く。**2**で取り分けた調整用の寿司めしですき間をうめ、焼きのりを片側ずつかぶせてとじる。かぶせたときにのりが余ったら余分な部分は切り取る。

13 形を整えて切る

まきすで巻いて形を整え、ぬれた包丁で食べやすく切り分け、もりつける。

全体を巻くのりは、1枚に1/3枚分足して大きくしておくよ。

これで完成！

できあがりの直径は7cmくらいをイメージして！

岩国寿司のつくり方

材料（22.5×13.5×5cmの押し寿司型1箱分） ※約4人分

- 米………… 3合
- 昆布………… 10cm
- Ⓐ 酢………… 大さじ6
- 砂糖………… 大さじ2
- みりん……… 大さじ1
- 塩…………… 小さじ2
- 卵…………… 1個
- 塩、こしょう… 各少々
- サラダ油…… 少々
- にんじん……… 1/3本
- 春菊…………… 4本
- 刻みあなご（市販品）… 100g
- しいたけ甘煮（市販品）… 50g
- 甘酢れんこん（市販品）… 60g
- 桜でんぶ……… 大さじ3
- ゆでえび（寿司用に開いたもの）……… 12尾
- リーフレタス……… 3枚

寿司酢は酢や砂糖の量を調整し、自分好みの味を見つけよう！

1 寿司めしをつくる

米は昆布をのせ、炊飯器で少しかために炊く。ぬらした飯台（なければボウル）にうつし、合わせたⒶをしゃもじにそわせてまわし入れ、ごはんを切るようにまぜながらうちわなどであおぎ、手早く冷ます。

2 具の準備をする

卵はときほぐし、塩、こしょうをふってまぜる。フライパンにサラダ油をうすくひいて熱し、卵の半量を流し入れて両面焼く。同じようにうす焼き卵をもう1枚焼き、せん切りにする。

3

にんじんは花の形のぬき型でぬき、余った部分はあらみじん切りにする。それぞれやわらかくなるまでゆでる。

4

春菊はふっとうした湯で色よくゆで、ボウルに入れた冷水にあげ、水気をしぼって2cm長さに切る。

5 寿司めしと具を重ねる

押し寿司の型を水でぬらし、1の1/2量を入れる。

6

2、3のあらみじん切りにしたにんじん、4、刻みあなご、しいたけ甘煮、甘酢れんこん、桜でんぶの各1/2量とゆでえび4尾をいろどりよくちらす。

7

5、6のえび以外を同じようにあと1回くり返し、2段にする。うす焼き卵は飾り用に適量取り分けておく。

8

7にふたをかぶせて軽く押す。

型がない場合は、
四角い保存容器にラップをしいて、
型を使うときと同じように
ごはんと具を重ねよう。
同じ容器をもうひとつ重ねれば
ふたの代わりになるよ。

9　容器に重しをする

ペットボトルなどの重しをし、2～3時間おいてなじませる。

保存容器を使う場合は、容器の大きさに合わせて缶づめなどで重しをしよう。

10　もりつける

9を下から押して寿司を取り出し、ぬらした包丁で食べやすく切り分ける。7で飾り用に取り分けたうす焼き卵と、3で花の形にぬいたにんじん、残りのえび8尾をいろどりよくちらし、リーフレタスをしいた皿にもりつける。

これで完成！

野菜やえび、卵などの具はお好みでアレンジしてみてね！

からめる？つける？

愛知県名古屋市

あんかけスパゲッティ

スパゲッティに洋風のソースをたっぷりかけるよ！とろとろのソースがやみつきになる味わい！

完成まで 20分

どんな料理？ あんかけスパゲッティ

肉や野菜をじっくり煮こみ、片栗粉でとろみをつけたあんのようなトマトベースのソースと、太いめんが特徴の名古屋生まれのスパゲッティで、1960年代に誕生しました。豚肉をのせた「ピカタ」、ソーセージやベーコンの「ミラネーゼ」は定番で、そのほかに肉と野菜の両方や、魚介類のフライをのせるなどバリエーションも豊富です。

スパイシーなソース！

とろ〜りパスタ対決

スパゲッティなのに
ラーメンのつけめんみたい！
ナポリタン風のスープに
めんをよ〜くひたして！

完成まで20分

静岡県富士市

富士つけナポリタン

これは新感覚だね

どんな料理？ 富士つけナポリタン

2008年、静岡県富士市の吉原商店街から誕生し、市内に人気を広げています。ルールは、トマトスープに鶏ガラなどの別のスープを合わせることと、つけめんスタイルで、おはしで食べることだけです。駿河湾の桜えびを使ったり、スープにチーズを入れたり、めんや具、トッピングは店ごとのオリジナルです。

P35へ

あんかけスパゲッティのつくり方

材料（2人分）

スパゲッティ（太いもの）……180g	トマトケチャップ……大さじ2
ウインナーソーセージ……6本	ウスターソース……大さじ1
玉ねぎ……1/4個	砂糖……小さじ1
ピーマン……1個	塩、しょうゆ…各少々
バター……大さじ1	あらびき黒こしょう……小さじ1/2
オリーブ油……大さじ1	
Ⓐ水……1と1/2カップ	片栗粉……小さじ4
洋風スープの素…1個	水……小さじ2
デミグラスソース（市販品）…大さじ2	タバスコ……適量

1 スパゲッティをゆでる
スパゲッティはパッケージに表示された時間の通りにゆで、ざるにあげてしばらくおく。

2 具を切る
ウインナーソーセージは縦半分に切り、格子の切りこみを入れる。玉ねぎはうす切り、ピーマンは縦に4等分に切り、さらに斜めに細切りにする。

> ソーセージに切りこみを入れると、あんのソースがからみやすくなるよ。

3 スパゲッティをいためる

フライパンにバターを入れて熱し、バターがとけたら**1**のスパゲッティを入れていため、皿にもりつける。

4 具をいためる
3のフライパンにオリーブ油を足し、**2**をいためる。

5
具に火が通ったら、**3**のスパゲッティの上にのせる。

6 ソースをつくる

4のフライパンにⒶを入れて合わせ、火にかける。ふっとうしたら、片栗粉を分量の水でとき、少しずつ加えて木べらでまぜながらとろみをつける。タバスコを加えて味を調える。

7 もりつける
6のソースを**5**の上にかける。

これで完成！

富士つけナポリタンのつくり方

材料（2人分）

- 鶏むね肉……1/4枚
- 塩、こしょう、酒……各少々
- Ⓐ トマトソース（市販品）……1カップ
- 水……1/2カップ
- 鶏ガラスープの素……小さじ1/2
- 塩、こしょう…各少々
- スパゲッティ（太いもの）……180g
- オリーブ油……大さじ1
- 桜えび……大さじ2
- パセリ（みじん切り）……少々
- マッシュルーム（缶づめ／スライス）……10枚
- ピザチーズ……20g

スープのベースは、鶏ガラのほかに、魚かいや牛すじを煮こんでつくったものもあるよ。

1 鶏肉を加熱する

鶏むね肉は耐熱皿にのせ、塩、こしょう、酒をふり、ラップをかけて電子レンジで2分加熱する。そのまま冷まし、食べやすい大きさに手でさく。

鶏肉をさくときは加熱した直後は熱いので、よく冷ましてから取りかかろう。

2 スープをつくる

なべにⒶを入れて火にかけ、ふっとうしたら塩、こしょうを加えて味を調える。

3 スパゲッティをゆでる

スパゲッティはパッケージに表示された時間の通りにゆで、ざるにあげて水気をきる。

4 材料をいためる

フライパンにオリーブ油を熱し、桜えびを入れていためる。

5

4に3を加えていため、皿にもり、パセリのみじん切りをちらす。

6 もりつける

深めの器に2を注ぎ、1、缶汁をきったマッシュルーム、ピザチーズを加え、5にそえる。

これで完成！

似てるけど違うよ！

長崎県全域

長崎ちゃんぽん

白いスープにたっぷりの野菜！太めのめんにスープがよく染みこんで食べごたえも抜群！

完成まで 15分

具だくさんだぜ～！

佐世保　五島　長崎　雲仙

どんな料理？ 長崎ちゃんぽん

長崎名物として、全国的に知られるちゃんぽんは、野菜や肉、えびやあさりなど、たくさんの具をいため、ちゃんぽん用のめんといっしょにスープに入れるめん料理です。明治時代、長崎で中華料理の店を開いた中国人の店主が、中国から来た留学生に、安くて栄養のある料理を食べさせたいと、考え出しました。

P38へ

中華めん対決

ラーメンかと思いきや
ツルツルッと食べられる春雨！
野菜やお肉、シーフードの
うま味もたっぷり！

熊本県熊本市
太平燕（タイピーエン）

完成まで 15分

スープもおいしい！

どんな料理？ 太平燕

熊本市では、給食にも出てくる人気の郷土料理です。春雨を入れたスープに、野菜や豚肉、えびやいかなどの具を入れ、揚げ卵をのせますが、味つけや具は、店や家庭によってさまざまです。明治時代に熊本にやってきた中国の人が、故郷の料理をアレンジしてつくったのが、はじまりといわれています。

P39へ

長崎ちゃんぽんのつくり方

材料（2人分）

- えび……………… 6尾
- いかの足……… 1杯分（約40g）
- からつきあさり……………… 80g
- 豚ロース肉（うす切り）……………… 40g
- しょうが……… 1かけ
- 玉ねぎ………… 1/8個
- にんじん……… 1/8本
- キャベツ……… 2枚
- もやし………… 100g
- きくらげ……… 2g
- ちゃんぽん用生めん（または中華生太めん）……………… 2玉
- ごま油………… 小さじ1
- サラダ油……… 大さじ1
- A 水……………… 3カップ
- 酒……………… 大さじ2
- 貝柱だし（顆粒）… 小さじ1
- （または和風だし少々）
- 砂糖…………… 大さじ1/2
- 塩……………… 小さじ1/3
- 中華スープの素（ペースト状）……………… 大さじ2
- かまぼこ（ピンク／8mm厚さ3cm角大）…… 4切れ
- さつま揚げ（1cm厚さ）……………… 4切れ
- 塩、こしょう… 各少々

1 材料の下ごしらえをする

えびはからをむき、尾、背ワタを取る。いかの足は2本ずつに切り分ける。からつきあさりは塩水につけて砂ぬきする。

2

豚ロース肉は3～4cm幅に切る。しょうがはせん切りにする。

3

玉ねぎは1cm厚さのくし形切り、にんじんは短冊切りにする。

4

キャベツはざく切りに、もやしはひげ根を取りのぞく。きくらげは水につけてもどし、いしづきを取って小さめに切る。

5

ちゃんぽん用生めんはパッケージに表示された時間より少し短めの時間で、ややかためにゆでる。

6 材料をいためる

大きめのフライパンにごま油を熱し、**1**をいためて取り出す。サラダ油を足す。

えびの背わたは、切れないようにゆっくり引き出そう。

7

次に**2**を入れていため、肉の色が変わったら、**3**を加えていためる。続けて**4**のキャベツともやしを加えていためる。

8 スープの素を加える

Aを加えてふっとうしたら、中華スープの素を加えてとかし、**5**を脇に加える。

9

ピンクのかまぼこ、さつま揚げ、**4**のきくらげを加え、**6**をもどしてひと煮したら、塩、こしょうで味を調える。

10 もりつける

丼にめん、具をいろどりよくもりつけ、スープを注ぐ。

これで完成！

太平燕（タイピーエン）のつくり方

材料（2人分）

- 豚バラ肉（うす切り） …… 60g
- にんにく …… 1/2かけ
- にんじん …… 1/8本
- 白菜 …… 1枚
- もやし …… 100g
- きくらげ …… 2g
- にら …… 2本
- 春雨 …… 80g
- 卵 …… 1個
- しょうゆ …… 少々
- 片栗粉 …… 少々
- 揚げ油 …… 適量
- ごま油 …… 小さじ1
- 冷凍シーフードミックス（えび、いか、あさり）…… 180g
- サラダ油 …… 大さじ1
- A 熱湯 …… 3カップ
- 酒 …… 大さじ2
- 白湯（豚骨）スープの素（顆粒）…… 大さじ1
- 貝柱だし（顆粒）…… 小さじ1
- 砂糖 …… 小さじ1/2
- 塩 …… 小さじ1/4
- かまぼこ（ピンク／8mm厚さ）…… 4切れ
- なると（8mm厚さの輪切り）…… 2切れ
- マッシュルーム（缶づめ／スライス）…… 6枚
- 塩、こしょう …… 各少々

1 材料の下ごしらえをする
豚バラ肉は3〜4cm幅に切る。にんにくはうす切りにする。

2
にんじんはせん切り、白菜はざく切りにする。もやしはひげ根を取りのぞく。

3
きくらげは水につけてもどし、いしづきを取ってせん切りにする。にらは3〜4cm長さに切る。

4
春雨はパッケージの表示を参考にしてもどし、少しかためにゆでる。

5 卵をゆで、揚げる

卵はゆでてからをむき、しょうゆをからめ、片栗粉をまぶす。180度の揚げ油で揚げ、冷めてから縦半分に切る。

6 材料をいためる
大きめのフライパンにごま油を熱し、シーフードミックスをいためて取り出す。

7

6のフライパンにサラダ油を足し、1を入れていため、肉の色が変わったら、2を加えていため合わせる。

8

> 貝柱だしがなければ、和風だし少々でもOKだよ。

Aを加えてふっとうしたら、4を脇にまとめるようにして加え、3、ピンクのかまぼこ、なると、缶汁をきったマッシュルームを加え、6をもどし入れてひと煮する。塩、こしょうで味を調える。

9 もりつける
丼に春雨をもりつけ、具をいろどりよくのせ、スープを注ぎ入れ、5をのせる。

これで完成！

おかわりしたくなる！

熊本県熊本市

完成まで **15分**

ちくわサラダ

ちくわの天ぷらのなかには
ポテトサラダがぎっしり！
ありそうでなかった
絶品おかず！

表がサクサク！

どんな料理？ ちくわサラダ

ちくわにポテトサラダをつめ、天ぷらにしたちくわサラダは、今から40年ほど前に、熊本県のお弁当チェーン、ヒライで誕生しました。当時の人気おかずを合わせて、ひとつの料理にしたものです。今ではおかずだけでなく、おやつとしても人気です。

ちくわサラダのつくり方

材料（2人分）

- ちくわ（太め／長さ約10cm）……4本
- ポテトサラダ（市販品）……80g
- 天ぷら粉……少々
- Ⓐ 天ぷら粉……1カップ
- 　 冷水……3/4カップ
- 揚げ油……適量

1 ちくわに切りこみを入れる
ちくわは縦に切りこみを入れる。

切りこみを入れるときは、下まで切らないよう慎重にやろう！

2 ポテトサラダをつめる
1の切りこみを広げ、ポテトサラダをつめ、天ぷら粉をまぶす。

3 揚げる
ボウルにⒶを入れてまぜ、2をつけてからめる。170度に熱した揚げ油に落とし入れ、揚げる。

4 もりつける
斜めに切ってもりつける。

これで完成！

アイディアおかず対決

大阪府全域

紅しょうがの天ぷら

赤い色の正体は、
なんと紅しょうが！
ちょっぴり酸っぱくて
サクサクの食感がおもしろい！

完成まで 10分

どんな料理？ 紅しょうがの天ぷら

関西では江戸時代から、梅干しといっしょに、しその葉を漬ける習慣がありました。この、梅干しをつくって残った梅酢にしょうがを漬けこみ、紅しょうがをつくります。紅しょうがをうすく切って揚げた天ぷらは、大阪名物といわれる定番の味です。

紅しょうがの天ぷらのつくり方

材料（2人分）

- 紅しょうが（かたまり） ……………… 1個（約90g）
- 天ぷら粉 ……………… 少々
- Ⓐ 冷水 ……………… 1/3カップ
- 　 天ぷら粉 ……………… 1/2カップ
- 揚げ油 ……………… 適量

1 紅しょうがを切る

紅しょうがのかたまりは縦方向に5mm厚さに切り、キッチンペーパーで水分をふき取り、天ぷら粉をまぶす。

衣をうすめにつけると、紅しょうがの赤い色があざやかになるよ。揚げるときは、油にしずかにすべらせるように入れよう。

2 揚げる

ボウルにⒶを入れてまぜ、1をつけてからめる。170度に熱した揚げ油に落とし入れ、カラリと揚げる。

これで完成！

フルーツを巻く？のせる？

栃木県那須塩原市

とて焼

ふんわり焼いた生地に お好みのフルーツとクリームを たっぷりはさんでクルクルと巻いたよ。 食べ歩きにもおすすめ！

生クリームたっぷり！

完成まで 40分

どんな料理？ とて焼

2011年に栃木県塩原温泉で誕生し、現在13店でつくられている新しい名物です。丸い生地をくるっと巻いた形が、温泉街を走る遊覧馬車「トテ馬車」のラッパの形に似ていることから名前がつきました。なかに巻く具はそれぞれのお店のオリジナルで、和風、洋風のスイーツから、そば、寿司までさまざまな味のとて焼が生まれています。

P44へ

甘～いデザート対決

スポンジにカスタードクリームをたっぷりぬって
缶づめフルーツをトッピング！
見た目も味もゴージャスに！

長崎県長崎市

ソースケーキ

ほっとする味！

完成まで 30分

どんな料理？ ソースケーキ

1955年ごろに誕生した、長崎県で人気の四角いケーキ。甘く煮たパイナップルと黄桃をのせ、スポンジとたっぷりのクリームを重ねます。発売当初の形が豆のさやに似ていたことからその名をつけようとして、英語の"pod"（豆のさや）と"sheath"（刀のさや）の訳語を取り違え、「シース」になったそうです。

佐世保
長崎
雲仙
南島原

とて焼のつくり方

材料（2個分）	
卵	1/2個
牛乳	63mL
ホットケーキミックス	75g
サラダ油	少々
A 生クリーム	1カップ
砂糖	大さじ1と1/2
バニラエッセンス	少々
いちご、キウイ、ブルーベリー、ミント	各適量

ご当地のとて焼は、おそろいの紙で巻いているよ。生地のつくり方は公表されていないから、ここでは、本場のとて焼きを参考にしてつくった簡単レシピを紹介するよ。

1 生地をつくる

ボウルに卵を割り入れて牛乳をまぜ、ホットケーキミックスをふり入れる。泡立て器でなめらかになるまでまぜる。

2 生地を焼く

フライパンを火にかけて熱し、サラダ油をうすくひき、底をぬれぶきんに当てて冷やす。1を半量流し入れ、直径約12cmの円形に広げる。

フライパンを一度冷やすと、生地に穴が空きにくくなって仕上がりがきれいだよ。

3

2の表面がかわいてきたら、フライ返しでひっくり返し、両面焼く。同じものをもう一枚つくる。

4 生地を巻く

熱いうちにラップで巻いて手巻き寿司のような形に成形し、カップをつくる。ラップを巻いたまま冷ます。

5 もりつける

ボウルにAを入れて泡立て器で泡立てる。しぼり出し袋に入れ、4のなかにしぼり出し、食べやすい大きさに切ったいちご、キウイ、ブルーベリー、ミントをいろどりよくもりつける。

これで完成！

シースケーキのつくり方

材料（4個分）

スポンジケーキ（17cm丸型／市販品）…… 1個	バニラエッセンス …… 少々
卵黄 …… 1個	Ⓐ 生クリーム …… 1カップ
砂糖 …… 大さじ2と1/2	砂糖 …… 大さじ1と1/2
コーンスターチ …… 大さじ1	バニラエッセンス …… 少々
牛乳 …… 1/2カップ	缶づめの黄桃、パイナップル
バター …… 小さじ1	…… 各適量

1 スポンジケーキを切る

スポンジケーキの両はしの部分は別のお菓子づくりに使ってね！

スポンジケーキは厚みを半分に切り、中央部分の幅が8cmになるように両はしを切り落とす。

2 カスタードクリームをつくる

ボウルに卵黄、砂糖大さじ1を入れて泡立て器で軽くまぜ、コーンスターチを加え、粉が見えなくなるまでまぜる。

3

なべに牛乳と砂糖大さじ1と1/2を入れて火にかけ、ふっとう直前まで温める。**2**のボウルに少しずつ注ぎ入れ、泡立てないように、しずかにまぜる。

4

3を万能ざるでこしながらなべにもどし、強火にかけ、木べらでかきまぜ続けながら加熱する。とろみがつき泡が出てきたらボウルにうつし、バターをのせてラップをかけて冷ます。冷めたらバニラエッセンスを加えてまぜる。

5 ケーキを仕上げる

別のボウルにⒶを入れて泡立て器で泡立て、1/3量を飾り用にしぼり出し袋に取り分けておく。

6

缶づめの黄桃、パイナップルは食べやすい大きさに切る。

7

まな板の上に**1**のスポンジケーキを1枚おき、上に**4**をぬる。

8

もう1枚をのせ、**5**をぬり、表面を平らにならす。

9

8に**5**でしぼり出し袋に取り分けた生クリームをしぼり出し、**6**を飾り、4等分に切り分ける。

これで完成！

どっちにしよう？

富山県黒部市

水だんご

よく冷やしたおだんごに
きなこや砂糖をふって。
手づくりだんごのできたては
もちもちしておいしい！

完成まで 30分

ヒンヤリ もちもち！

どんな料理？ 水だんご

富山県黒部市の生地地区には、冷たくすんだ湧き水があちこちに出ています。水だんごは、この湧き水で冷やして食べる夏の料理で、昔はお盆のおそなえものにも用いられました。もちもちした食感でほんのり甘く、何個でも食べられるやさしい味です。

氷見 / 高岡 / 黒部 / 富山

水だんごのつくり方

材料（2皿分）

- 上新粉 …………… 90g
- 片栗粉 …………… 10g
- 水 ………………… 120mL
- Ⓐ うぐいすきなこ … 大さじ1
-   砂糖 …………… 大さじ1
-   塩 ……………… 少々

上新粉は、うるち米を加工した粉のこと。おもにお菓子づくりに使われているよ。

1 だんごをつくる

耐熱ボウルに上新粉と片栗粉を入れてさっとまぜ、分量の水を加え、ぬらした木べらで練りまぜる。

2

1にラップをかけて、電子レンジで1分30秒加熱し、一度取り出してまぜる。ラップをかけてさらに1分加熱し、まぜる。

3

2をぬらしたすりこぎなどで、つくようにこね、2等分にする。ぬらした手で直径3cmの棒状にのばし2cm幅に切り、氷水に入れて冷やす。

4 もりつける

水気をきった3を器にもりつけ、まぜ合わせたⒶをかける。

これで完成！

46

小さなデザート

完成まで70分

秋田県全域

あさづけ

お米でつくるほんのり甘い、さっぱりデザート！
フルーツをいろいろアレンジしても楽しい！

不思議なおいしさ！

大館・鹿角・秋田・湯沢

どんな料理？ あさづけ

秋田県の甘ずっぱい郷土料理で、もとは、米を精米したときに出る、くだけた米（こざき）からつくっていたので「こざき練」、酢を使うので「粉なます」とよぶ地域も。古くは行事の集まりや、農作業のあとのごちそうでしたが、今はデザートとして人気です。

あさづけのつくり方

材料（2人分）

- 米‥‥‥‥‥‥‥40g
- 水‥‥‥‥‥‥‥1と1/2カップ
- Ⓐ 酢‥‥‥‥‥‥小さじ2
-   砂糖‥‥‥‥‥大さじ3
-   塩‥‥‥‥‥‥小さじ1/5
- Ⓑ 缶づめのみかん、チェリー‥各2個
-   ブルーベリー‥‥少々

のせるフルーツはお好みで変えてもOK！

1 米の下準備をする

米は洗ってボウルに入れ、かぶるくらいの水を注いでそのまま1時間以上ひたす。

2

1の米をざるにあげて水気をきり、ミキサーに入れる。分量の水の約半量を加えてかくはんし、米が少しつぶれたら残りの水を加えてさらにかくはんする。

3 米を煮て冷やす

2をなべにうつして火にかけ、木べらでまぜる。とろみがついてきたらⒶを加え、透明感が出るまで煮たら冷蔵庫で冷やす。

3 もりつける

器にもり、Ⓑを飾る。

これで完成！

監修者紹介

吉田瑞子（よしだ・みずこ）

料理研究家＆フードコーディネーター。1987年おもちゃメーカーの企画から、料理の世界に転身。「楽しく仕事！」がモットーの事務所「エイプリルフール」主宰。雑誌、広告、TVCFの料理制作、食品メーカーのレシピ開発等を手がける。「誰にでも簡単に作れる家庭料理」をテーマに各方面で活躍中。『冷凍保存の教科書ビギナーズ』『超速ラクらく弁当』（新星出版社）、『かんたん作りおきおかず230』『朝ラクおいしい！おかずの素弁当』（学研プラス）、『朝つめるだけ！ラクうま弁当』（宝島社）ほか著書多数。

NDC 596
監修　吉田瑞子
どっちの料理対決！えらぼう！つくろう！
ニッポンのご当地ごはん
3　夜ごはんとデザート
日本図書センター
2017年　48P　26.0cm×21.0cm

＜スタッフ＞
撮影　　　　　　吉岡真理
　　　　　　　　横田裕美子（スタジオバンバン）
スタイリング　　深川あさり
イラスト　　　　坂木浩子
原稿　　　　　　吉野清美、酒井かおる
装丁・本文デザイン　株式会社ダイアートプランニング
　　　　　　　　（宇田隼人、天野広和、五十嵐直樹）
校閲　　　　　　有限会社玄冬書林
編集制作　　　　株式会社童夢
企画担当　　　　日本図書センター／福田惠

＜取材協力＞
神代地域活性化推進協議会（あいがけ神代カレー）
門司港レトロ倶楽部（門司港焼きカレー）
かばくろ（ぶたかば）
富士つけナポリタン大志館（富士つけナポリタン）
ヒライ（ちくわサラダ）
今井屋製菓（とて焼）

どっちの料理対決！　えらぼう！　つくろう！
ニッポンのご当地ごはん
3　夜ごはんとデザート

2017年1月25日　初版第1刷発行

監修／吉田瑞子
発行者／高野総太
発行所／株式会社 日本図書センター　〒112-0012　東京都文京区大塚3-8-2
　　　　電話　営業部03（3947）9387　出版部03（3945）6448
　　　　http://www.nihontosho.co.jp
印刷・製本　図書印刷 株式会社

2017 Printed in Japan
乱丁・落丁本はお取り替えいたします。

ISBN978-4-284-20398-2（第3巻）

どっちの料理対決！ニッポンのご当地 \えらぼう！/ \つくろう！/

1 朝ごはんとスイーツ

☆巻頭インタビュー
水卜麻美さん

甘～い幸せ♥ スイーツ風トースト対決
小倉トースト(愛知県名古屋市)vsクリームボックス(福島県郡山市)

王者はどっち!? シーフードサンド
えびフライサンド(愛知県名古屋市)vsさばサンド(福井県小浜市)

さらさら対決！ 温・冷 汁かけごはん
鶏飯(鹿児島県奄美群島)vs冷や汁(宮崎県全域)

どっちで起きる？ 目覚まし朝カレー
スープカレー(北海道札幌市)vs北本トマトカレー(埼玉県北本市)

サラダみたい！ ワンプレート対決
タコライス(沖縄県金武町)vsラーメンサラダ(北海道札幌市)

カワリダネお寿司 どっちがビックリ!?
レタス巻き(宮崎県宮崎市)vsそばいなり寿司(茨城県笠間市)

三角がいい？ 四角がいい？ ゆかいなおにぎり対決
天むす(愛知県名古屋市)vsランチョンミートおにぎり(沖縄県全域)

コラム まだある！ おもしろおにぎり集合！
とろろおにぎり(富山県全域)・肉巻きおにぎり(宮崎県宮崎市)・
けんさ焼き(新潟県魚沼地方)・百万遍おにぎり(山梨県中央部)・
めはり寿司(和歌山県・三重県熊野地方)

そんなのアリ!? シンプルみそ汁対決
枝豆のみそ汁(山形県庄内地方)vsとうもろこしのみそ汁(山形県鶴岡市)

コラム まだある！ 手軽でおいしいみそ汁集合！
しじみ汁(島根県全域)・かきのみそ汁(広島県沿岸部)・
アーサのみそ汁(沖縄県全域)・きゅうりのみそ汁(富山県東部)・
納豆汁(岩手県西和賀町)・そうめんみそ汁(奈良県全域)

パン？ ごはん？ のせたいおかず対決
コンビーフハッシュ(沖縄県全域)vsだし(山形県全域)

どっちを選ぶ？ ごきげん"お目覚"
バターもち(秋田県北秋田市)vsいがまんじゅう(埼玉県北東部)

2 昼ごはんとおやつ

☆巻頭インタビュー
サンドウィッチマン(伊達みきおさん・富澤たけしさん)

どっちがゴージャス？ 夢のランチ対決
ハントンライス(石川県金沢市)vsトルコライス(長崎県長崎市)

うま～く化けた！ 変わりバーガー対決
おきつねバーガー(愛知県豊川市)vs松山長なすバーガー(愛媛県松山市)

ソースに差アリ！ 焼きめし対決
そばめし(兵庫県神戸市)vsえびめし(岡山県岡山市)

新スタイル焼きそば だし派？ みそ派？
黒石つゆやきそば(青森県黒石市)vsたじみそ焼きそば(岐阜県多治見市)

つるつる？ もちもち？ 変わりうどん対決
すったて(埼玉県川島町)vs耳うどん(栃木県佐野市)

いためる！ かける！ アレンジそうめん
ソーミンチャンプルー(沖縄県全域)vsあんかけそうめん(山形県鶴岡市)

具に注目！ 東と西のどんぶり勝負
深川めし(東京都江東区)vs衣笠丼(京都府全域)

まんまる対決！ フワフワ卵料理
たまごふわふわ(静岡県袋井市)vs明石焼(兵庫県明石市)

ソース？ みそ？ 粉ものおやつ対決
いか焼き(大阪府全域)vsこねつけ(長野県北信地方)

しっとり！ サクサク！ カンタンおやつパン対決
みそパン(群馬県沼田市)vsポテチパン(神奈川県横須賀市)

これってそのまんま!? オドロキ和菓子くらべ
天ぷらまんじゅう(島根県大田市)vsまるごとみかん大福(愛媛県今治市)

ひんやり♪ シャリシャリ♪ 涼を楽しむ氷対決
食べるミルクセーキ(長崎県長崎市)vs沖縄ぜんざい(沖縄県全域)